CW00551202

CHWEDLAU CYMRU
CEFFYLAU

Argraffiad cyntaf: 2021
ⓗ testun: Fiona Collins
ⓗ lluniau: Natalie Griffiths

Cedwir pob hawl.
Ni chaniateir atgynhyrchu unrhyw ran o'r cyhoeddiad hwn,
na'i gadw mewn cyfundrefn adferadwy, na'i drosglwyddo
mewn unrhyw ddull na thrwy unrhyw gyfrwng, electronig, electrostatig,
tâp magnetig, mecanyddol, ffotogopïo, recordio, nac fel arall,
heb ganiatâd ymlaen llaw gan y cyhoeddwyr, Gwasg Carreg Gwalch,
12 Iard yr Orsaf, Llanrwst, Dyffryn Conwy, Cymru LL26 0EH.

Rhif Llyfr Safonol Rhyngwladol:
978-1-84527-791-8

CYNGOR LLYFRAU CYMRU
BOOKS COUNCIL of WALES

Cyhoeddwyd gyda chymorth Cyngor Llyfrau Cymru

Dylunio'r clawr: Gary Evans

Cyhoeddwyd gan Wasg Carreg Gwalch,
12 Iard yr Orsaf, Llanrwst, Dyffryn Conwy, Cymru LL26 0EH.
Ffôn: 01492 642031
e-bost: llyfrau@carreg-gwalch.cymru
lle ar y we: www.carreg-gwalch.cymru

Argraffwyd a chyhoeddwyd yng Nghymru

CHWEDLAU CYMRU

CEFFYLAU

FIONA COLLINS

LLUNIAU GAN
NATALIE GRIFFITHS

CHWEDLAU CYMRU

CEFFYLAU

Lleoliadau yn y straeon

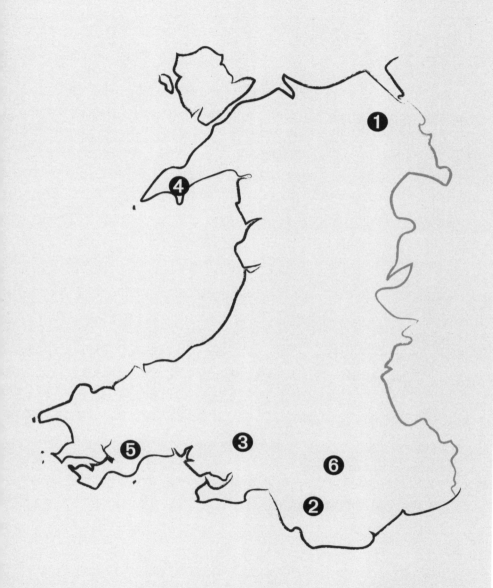

Cyflwyniad

Dyma rai o fy hoff **chwedlau** o Gymru.

Ddim fi ydy *awdur* y chwedlau. Mae llawer iawn o bobl wedi deud y chwedlau yma dros y blynyddoedd. Maen nhw'n chwedlau **poblogaidd** ac **enwog**. **Chwedleuwr** dw i – dw i'n deud chwedlau **ar lafar**.

Mae clywed chwedlau yn hyfryd ac mae darllen chwedlau yn bleser hefyd.

Mae gynnyn nhw naratif **syml**, **cymeriadau** syml a geirfa syml.

Mae darllen chwedlau o Gymru'n gallu helpu ni i ddefnyddio'r Gymraeg, i fwynhau'r iaith ac i ddysgu mwy am hanes a **diwylliant** Cymru.

Erbyn i ti orffen y Cwrs Mynediad, **byddi di wedi** darllen, a dallt, y chwe chwedl yma. Byddi di'n gwybod mwy am Gymru, ei hanes a'i chwedlau!

cyflwyniad – *introduction*	**ar lafar** – *spoken, orally*
chwedl(au) – *folktale(s)*	**syml** – *simple*
poblogaidd – *popular*	**cymeriad(au)** – *character(s)*
enwog – *famous*	**diwylliant** – *culture*
chwedleuwr – *storyteller*	**byddi di wedi ...** – *you will have ...*

March Arthur

Amser maith yn ôl …
Dyma'r Brenin Arthur.
Dyma geffyl y Brenin Arthur. Llamrei ydy enw'r ceffyl.
Mae Llamrei yn geffyl da. Mae o'n fawr. March ydy o –
ceffyl cryf.
Mae Arthur yn byw efo **marchogion ar ben** mynydd
Moel Arthur, ger **Dinbych**.
Mae Moel Arthur yn lle da i fyw. Mae Moel Arthur yn
uchel iawn.
O ben Moel Arthur, mae Arthur yn gallu gweld popeth:
y wlad, y bobl … a'r **gelynion**!
Un bore, mae dyn yn dod at Arthur ac yn deud:
'Arthur, mae'r gelynion yn dod!'
Mae Arthur yn barod. Mae o'n deud:
'I ffwrdd â ni, farchogion! Mae'r gelynion yn dod!'
Mae marchogion Arthur yn barod. Maen nhw'n barod
i stopio'r gelynion.
Mae **brwydr** yn dechrau.

march – *steed, stallion*	**Dinbych** – *Denbigh*
amser maith yn ôl – *once upon*	**uchel** – *high*
a time (literally: a long time ago)	**gelyn(ion)** – *enemy / enemies*
marchog(ion) – *knight(s)*	**brwydr** – *battle*
ar ben – *on top of*	
moel – *(bare) summit,*	
mountain top	

Mae'n anodd gwybod beth sy'n digwydd. Yn sydyn, lle mae marchogion Arthur? Mae Arthur **ar ben ei hun**! Mae'r gelynion yn gweld Arthur ar ben ei hun. Mae Arthur mewn **perygl**!

Ond mae Arthur **ar gefn** Llamrei. Mae Llamrei yn geffyl cyflym, ceffyl da. Mae'r gelynion yn dod yn agos at Arthur a Llamrei. Yn agos iawn, iawn. Mae'r gelynion yn gyflym. Mae Llamrei hefyd yn gyflym iawn. Mae Llamrei'n **carlamu** i ffwrdd. Mae'r gelynion yn **dilyn** Llamrei. Mae Llamrei yn cyrraedd **clogwyn**. Clogwyn mawr! Mae'r clogwyn o flaen Arthur. Mae'r gelynion **tu ôl i** Arthur. Mae'r gelynion yn hapus. Maen nhw'n deud, 'Mae Arthur **mewn trwbl** rŵan!' Ond mae Arthur yn deud, 'Mae Llamrei'n geffyl da. Mae popeth yn iawn … efo lwc!' Mae Llamrei yn agos at y clogwyn rŵan. Dydy Llamrei ddim yn stopio. Mae Llamrei **ar ymyl** y clogwyn rŵan. Dydy Llamrei ddim yn stopio. Mae Llamrei yn neidio. Bendigedig!

Mae'r gelynion yn stopio. Dydyn nhw ddim isio **syrthio**. Maen nhw'n edrych i lawr. Maen nhw isio gweld **corff** Arthur, corff Llamrei. Ond mae Arthur yn **saff**! Mae o'n mynd adre ar gefn Llamrei, y march da.

ar ben ei hun – *on his own*	**tu ôl i** – *behind*
perygl – *danger*	**mewn trwbl** – *in trouble*
ar gefn – *on the back of*	**ar ymyl** – *on the edge*
carlamu – *to gallop*	**syrthio** – *to fall*
dilyn – *to follow*	**corff** – *body*
clogwyn – *cliff*	**saff** – *safe*

Mae Arthur yn edrych ar y gelynion ar y bryn. Mae o'n hapus. 'Bendigedig, Llamrei!' mae o'n deud. 'Diolch yn fawr. Rwyt ti'n geffyl da iawn.'

Mae **Caer** Arthur ar Foel Arthur. Mae Caer Arthur yn siâp **carn** ceffyl. Mae pobl yn deud, 'Dyma siâp carn Llamrei. Mae Llamrei yn geffyl da.'

Os wyt ti'n mynd am dro i Foel Arthur, rwyt ti'n medru gweld siâp carn Llamrei heddiw. Wir i ti!

caer – *fort*   carn – *hoof*

Y Fari Lwyd

Dydy'r chwedl hon ddim yn dechrau yng Nghymru, ond mae hi'n gorffen yma.

Mae'r chwedl yn dod o Fethlehem: stori'r Nadolig cynta ydy hi. Mae llawer o bobl yn gwybod y stori am sut mae Mair a Joseff yn dod i Fethlehem ac yn edrych am le saff i **eni'r Baban Iesu**.

Ond dim ond yng Nghymru dan ni'n gwybod am chwedl y Fari Lwyd.

Dyma'r chwedl:

Pan ddaeth Mair a Joseff i'r stabl, roedd **caseg** lwyd yn y stabl. Mari oedd enw'r gaseg. Roedd y gaseg, fel Mair, yn **disgwyl** baban. **Ebol** ydy enw baban ceffyl. Roedd Mari'r gaseg yn disgwyl ebol.

Roedd yr amser wedi dod i ebol Mari gael ei eni, ond roedd yr amser wedi dod i faban Mair gael ei eni hefyd. Doedd y stabl ddim yn ddigon mawr i'r ddwy.

Felly, roedd rhaid i Mari, y gaseg, adael y stabl. Doedd ddim digon o le i Mari gael ei hebol. Aeth i **grwydro**'r byd i edrych am le saff i ddod â'r ebol i'r byd. Ond doedd hi ddim yn medru ffeindio lle saff.

geni – *to give birth to / to be born*	**disgwyl** – *to expect*
Baban Iesu – *Baby Jesus*	**ebol** – *foal*
caseg – *mare (female horse)*	**crwydro** – *to wander*

13

Felly, mae'r chwedl yn deud: mae Mari'r gaseg yn **dal i** grwydro heddiw.

Yma, yng Nghymru, bob Nadolig, mae pobl yn cofio Mari, y gaseg lwyd heb gartre i'r ebol. Mae grwpiau o bobl yn mynd o dŷ i dŷ efo'r Fari Lwyd. **Penglog** ceffyl ar ben **polyn**, efo **cynfas wen** o gwmpas y polyn, ydy'r Fari Lwyd. Mae un person yn cario'r Fari Lwyd a'r bobl **eraill** yn dod efo'r Fari.

Mae'r bobl yn dod i'r tŷ, cnocio ar y drws ac yn canu. Dydy'r bobl yn y tŷ ddim yn agor y drws. Maen nhw'n ateb drwy ganu. Mae hi fel cystadleuaeth canu. 'Pwnco' ydy enw'r gystadleuaeth.

Mae **criw**'r Fari Lwyd isio dod i mewn i'r tŷ. Rhaid iddyn nhw **berswadio**'r bobl yn y tŷ i agor y drws a gadael i'r Fari Lwyd ddod i mewn. O'r diwedd, maen nhw'n gadael i'r Fari ddod i mewn, achos mae'r Fari yn dod â **lwc** dda i'r tŷ.

Dyma beth mae criw'r Fari Lwyd yn canu yn y 'pwnco' tu allan i'r tŷ:

'Wel, dyma ni'n dŵad

Gyfeillion diniwad

I ofyn am **gennad,**

I ofyn am gennad,

I ofyn am gennad i ganu.'

Amser y Nadolig, beth am edrych am y Fari Lwyd yn dy **ardal** di?

dal i – *still, to continue*	**perswadio** – *to persuade*
penglog – *skull*	**lwc** – *luck*
polyn – *pole*	**cyfeillion** – *friends*
cynfas wen – *white sheet*	**diniwad** – *innocent, harmless*
eraill – *other*	**cennad** – *permission*
criw – *party, group*	**ardal** – *area*

Marchog Arall

Roedd Owain Lawgoch yn **ymladd** yn dda. Dyma o ble daeth yr enw – roedd ei law yn goch efo **gwaed** y gelynion!

Marchog oedd Owain, o deulu **Tywysogion** Gwynedd. Roedd Llywelyn Fawr yn hen hen hen daid i Owain Lawgoch. Roedd Owain yn byw rhwng 1330 a 1378. Mae o'n berson o hanes, ond hefyd o chwedlau.

Dyma chwedl am Owain Lawgoch.

Roedd Owain ar gefn ei geffyl, yn teithio trwy dde Cymru. Roedd y ceffyl yn geffyl da, ceffyl mawr. March oedd ceffyl Owain. Roedden nhw wedi teithio ers y bore. Roedd y march wedi blino. Roedd Owain hefyd wedi blino.

Roedd Owain isio diod. Roedd y march isio diod hefyd.

Mi wnaeth Owain weld **llech** fawr. Mi wnaeth o weld tipyn bach o ddŵr o gwmpas y llech. Mi wnaeth Owain godi'r llech.

Roedd **ffynnon** o dan y llech – a dŵr ffres. Mi wnaeth Owain yfed y dŵr ffres. Roedd yn fendigedig! Mi wnaeth y march yfed y dŵr ffres. Roedd y ddau'n teimlo'n dda.

Mi aeth Owain a'r march i ffwrdd. Ond doedd Owain ddim wedi rhoi'r llech yn ôl ar ben y ffynnon. O diar!

---

ymladd – *to fight*	**llech** – *slab, slate*
gwaed – *blood*	**ffynnon** – *spring, fountain, well*
tywysog(ion) – *prince(s)*	

Roedd y dŵr yn codi a chodi.

Mi aeth Owain ymlaen. Ond pan wnaeth o edrych yn ôl, mi wnaeth o weld dŵr ym mhob man! O diar, o diar!

Roedd rhaid i Owain stopio'r dŵr. Mi wnaeth Owain ddeud wrth ei geffyl, 'Rhaid i ni stopio'r dŵr! Mi wnes i anghofio rhoi'r llech yn ôl ar ben y ffynnon. Rhaid i ti helpu – rhaid i ni fynd rownd a rownd y dŵr i stopio'r dŵr, cyn iddo fo fynd i bob man.'

Roedd march Owain yn geffyl da, fel ceffyl y Brenin Arthur. Mi wnaeth y march ddechrau carlamu. Mi aeth y march rownd a rownd y dŵr. Yn y diwedd, stopiodd y dŵr.

Roedd Owain a'i farch wedi **creu llyn** newydd.

Beth ydy enw'r llyn?

Llyn Llech Owain.

Mae Llyn Llech Owain ger Llandeilo yn Sir Gaerfyrddin. Rwyt ti'n medru mynd i weld y llyn. Rŵan, rwyt ti'n gwybod sut gaeth y llyn yr enw.

Gwaith Owain Lawgoch a'i farch ydy'r llyn.

Ac mae'r llyn **yn dal yno** heddiw.

---

creu – *to create* **yn dal yno** – *still there*
llyn – *lake*

Y Brenin March

Yn yr hen chwedl, roedd y Brenin March yn byw ym **Mhen Llŷn** yng ngogledd orllewin Cymru. Roedd gan March gastell ger Abersoch. Enw'r castell oedd Castellmarch.

Heddiw, mae tŷ mawr o'r enw Castellmarch ger Abersoch.

Roedd gan March wallt hir. Hir iawn. Roedd gan March het. Het fawr. Roedd March yn gwisgo'r het yn yr ardd ac yn y castell. Roedd March yn gwisgo'r het pan oedd hi'n bwrw glaw, pan oedd hi'n braf. Roedd March yn gwisgo'r het bob dydd a phob nos.

Ond pam? Pam y gwallt hir, pam yr het fawr?

Wel, roedd gan March **gyfrinach**.

Mae'r enw 'March' yn rhoi cliw am ei gyfrinach o.

Mae 'march' yn **golygu** 'ceffyl **gwryw**', ceffyl cryf fel arfer.

Roedd gan March glustiau march, clustiau fel ceffyl!

Roedd yr het a'r gwallt hir yn cuddio'r clustiau.

Roedd popeth yn iawn. Ond un diwrnod, mi wnaeth March ddeud,

Pen Llŷn – *Llŷn Peninsula*	**golygu** – *to mean*
cyfrinach – *secret*	**gwryw** – *masculine, male*

'Mae fy ngwallt yn rhy hir. Dw i isio ffeindio **barbwr** i **dorri** fy ngwallt. Ond rhaid i'r barbwr gadw'r gyfrinach.'

Mi ddaeth Twm y barbwr i'r castell.

Roedd o'n edrych ar y brenin, ac ar yr het.

Mi ddeudodd o, '**Arglwydd**, rhaid i chi **dynnu** eich het os dach chi isio torri eich gwallt.'

Mi atebodd March. 'Hmm, dw i'n gwisgo fy het bob dydd a phob nos. Mae'r het yn cuddio cyfrinach. Rhaid i ti **addo** cadw'r gyfrinach.'

Mi atebodd Twm, 'Arglwydd, dw i'n medru cadw cyfrinach.'

'Da iawn,' deudodd March.

Mi wnaeth March dynnu ei het.

O! Mi wnaeth Twm weld clustiau March – y clustiau ceffyl. Ond wnaeth Twm ddim deud dim byd. Mi wnaeth o dorri gwallt March ac wedyn mi aeth o adre.

Roedd cyfrinach y clustiau yn gyfrinach fawr. Roedd Twm isio siarad am y gyfrinach. Ond doedd o ddim yn medru siarad efo'i ffrindiau, doedd o ddim yn medru deud wrth y teulu.

Ond mi aeth Twm i weld ei ffrind Bethan.

Mi ddeudodd o, 'Mae gen i gyfrinach. Dw i isio siarad am y gyfrinach, ond dw i wedi addo cadw'r gyfrinach. Mae'n ofnadwy!'

Mi wnaeth Bethan gael syniad da.

'Rhaid i ti gadw'r gyfrinach. Da iawn ti! Ond rwyt ti isio deud wrth rywun.

barbwr – *barber*	**tynnu** – *to remove, to take off*
torri – *to cut*	**addo** – *to promise*
arglwydd – *lord*	

Dw i'n dallt. Mae gen i syniad! Rwyt ti'n medru mynd at yr afon. Rwyt ti'n medru siarad efo dŵr yr afon. Rwyt ti'n medru deud wrth yr afon ac rwyt ti'n medru cadw'r gyfrinach ar yr un pryd.'

'O, diolch yn fawr,' atebodd Twm. 'Syniad da iawn!'

Mi aeth Twm at afon Soch, ger Castellmarch. Mi wnaeth o eistedd ar lan yr afon.

Roedd **brwyn** yn tyfu yn y dŵr. Mi wnaeth Twm ddeud wrth y brwyn,

'Mae gan y Brenin March glustiau ceffyl! Mae gan y Brenin March glustiau ceffyl! Mae gan y Brenin March glustiau ceffyl!'

Wedyn mi aeth o adre. Roedd o'n teimlo'n fendigedig. Roedd o wedi siarad am y gyfrinach, ond hefyd roedd o wedi cadw'r gyfrinach.

Roedd gan Bethan chwaer. Enw chwaer Bethan oedd Bronwen. Roedd Bronwen yn **canu'r ffliwt**. Roedd hi'n canu'r ffliwt bob nos Sadwrn yn nghastell y Brenin March.

Mi wnaeth Bronwen ddeud wrth Bethan: 'Dw i'n mynd i'r castell heno i ganu'r ffliwt. Dw i isio ffliwt newydd. Dw i'n mynd i'r afon i dynnu un o'r brwyn am ffliwt newydd.'

Mi ddaeth Bronwen i'r castell efo'r ffliwt newydd.

'Da iawn,' deudodd y Brenin March. 'Dw i isio gwrando ar y ffliwt. Bronwen, mae hi'n amser canu'r ffliwt!'

Mi wnaeth hi ddechrau canu'r ffliwt.

Ond roedd y ffliwt yn siarad! Dyma beth wnaeth y ffliwt ddeud:

---

brwyn – *reeds, rushes*   **canu'r ffliwt** – *to play the flute*

'Mae gan y Brenin March glustiau ceffyl! Mae gan y Brenin March glustiau ceffyl! Mae gan y Brenin March glustiau ceffyl!'

Stopiodd pawb! Stopiodd popeth!

Roedd pawb yn edrych ar y Brenin March.

Roedd y Brenin March yn edrych ar Bronwen.

Roedd o'n edrych yn **flin**.

Roedd Bronwen yn **ofnus.**

Wedyn roedd y Brenin March yn gwenu.

'O diar,' deudodd o. 'Mae pawb yn gwybod y gyfrinach rŵan. Wel … **dim ots**!'

Mi wnaeth o dynnu'r het fawr.

Roedd pawb yn gweld y clustiau ceffyl.

Ond roedd pawb yn hoffi'r Brenin March, felly, roedden nhw'n hoffi'r clustiau!

'Da iawn, arglwydd,' deudodd pawb. 'Dan ni'n hoffi'r clustiau. Maen nhw'n arbennig iawn! Hŵre am y Brenin March! Hŵre am ei glustiau arbennig!'

Roedd y Brenin March yn hapus. Roedd popeth yn iawn.

blin – *angry*	**dim ots** – *it doesn't matter /*
ofnus – *afraid*	*never mind*

Rhiannon o Fyd y **Tylwyth Teg**

Amser maith yn ôl, roedd Rhiannon yn byw ym myd y Tylwyth Teg, byd llawn **hud a lledrith**.

Roedd gan Rhiannon geffyl, ceffyl llwyd. Doedd ceffyl Rhiannon ddim yn farch. Caseg oedd hi. Roedd caseg Rhiannon, fel Rhiannon, yn llawn hud a lledrith.

Doedd Rhiannon ddim yn hapus ym myd y Tylwyth Teg. Roedd hi isio gadael ei byd, achos roedd hi'n caru Pwyll, brenin yn ein byd ni. Felly, mi ddaeth Rhiannon i'n byd ni, ar gefn y gaseg lawn hud a lledrith, i weld Pwyll.

Roedd Pwyll yn ei gastell yn Arberth, **Sir Benfro**. Mi wnaeth marchog y Brenin Pwyll **sôn am** fryn yn agos at y castell. **Gorsedd** Arberth oedd enw'r bryn.

'Syr,' deudodd y marchog, 'wyt ti'n gwybod beth mae pobl yn ddeud am Orsedd Arberth?'

'Nac ydw', atebodd Pwyll.

'Os ydy brenin yn mynd i ben y bryn, mae o'n medru gweld rhywbeth rhyfedd.'

'Mmm,' deudodd Pwyll, 'dw i'n hoffi pethau rhyfedd. Dw i'n mynd i ben y bryn. Pwy sy isio dod efo fi?'

Pan oedd Pwyll a'i farchogion ar ben y bryn, roedden nhw'n medru gweld y wlad i gyd. **Golygfa** fendigedig!

tylwyth teg – *fairies*	**sôn am** – *talk about*
hud a lledrith – *magic*	**gorsedd** – *throne*
Sir Benfro – *Pembrokeshire*	**golygfa** – *view*

Ar unwaith, mi wnaeth Pwyll weld rhywbeth newydd, rhywbeth rhyfedd. Mi wnaeth o weld caseg yn bell i ffwrdd, caseg lwyd, efo **merch hardd** ar gefn y gaseg. Roedd y ferch yn gwisgo ffrog **sidan** felyn, roedd gynni hi wallt hir. Rhiannon oedd hi.

Doedd Pwyll ddim yn nabod Rhiannon. Ond ar unwaith, roedd Pwyll yn caru Rhiannon.

'Pwy ydy hi?' gofynnodd Pwyll. 'Syr Geraint, dw i isio i ti fynd i lawr y bryn i siarad efo'r ferch hardd hon. Rhaid i ti ofyn: 'Pwy wyt ti? Pam wyt ti yma?'

Mi aeth y marchog i lawr y bryn. Roedd Rhiannon yn agos. Roedd y gaseg yn cerdded yn araf iawn, yn cerdded **ling-di-long**.

Ond doedd Syr Geraint ddim yn medru **dal** Rhiannon.

Roedd Syr Geraint yn cerdded, ac roedd y gaseg yn cerdded.

Doedd o ddim yn medru ei dal hi.

Roedd Syr Geraint yn rhedeg, ac roedd y gaseg yn cerdded.

Doedd o ddim yn medru ei dal hi.

Roedd Syr Geraint yn rhedeg, ac yn rhedeg, tan doedd o ddim yn medru rhedeg mwy. Roedd y gaseg yn cerdded, ond doedd y marchog ddim yn medru ei dal hi.

Mi aeth Syr Geraint yn ôl at Pwyll, yn drist iawn, ac wedi blino!

'Rwyt ti wedi gwneud yn dda iawn, Geraint,' deudodd Pwyll. 'Mae rhywbeth rhyfedd yma. Dw i'n mynd adre

ar unwaith – *at once*	**sidan** – *silk*
merch – *woman, girl*	**ling-di-long** – *slowly, leisurely*
hardd – *beautiful*	**dal** – *to catch*

rŵan, ond dw i'n dod yn ôl eto fory, i weld ydy'r ferch yma eto.'

Ac mi aeth Pwyll yn ôl i'r castell a meddwl am y ferch hardd ar gefn y gaseg.

Y diwrnod wedyn, aeth Pwyll a'r marchogion yn ôl i Orsedd Arberth. Y tro 'ma, roedd gan Pwyll ei farch gorau, ceffyl cyflym iawn. Roedd march Pwyll yn aros ar waelod y bryn. Mi aeth Pwyll gyda phawb i ben y bryn.

O ben y bryn, mi welodd Pwyll y ferch yn dod ar gefn y gaseg. Roedd hi'n gwisgo ffrog sidan felyn, roedd gynni hi wallt hir. Rhiannon oedd hi. Mi ddaeth hi ar gefn y gaseg yn araf iawn, yn cerdded ling-di-long.

Roedd Rhiannon isio gwybod mwy am Pwyll.

Roedd caseg Rhiannon yn cerdded yn ein byd ni, ond roedd y gaseg yn carlamu yn gyflym iawn ym myd y Tylwyth Teg. Roedd fel hud a lledrith.

Ar ôl gweld Rhiannon, mi redodd Pwyll i lawr y bryn. Mi aeth o ar gefn ei farch. Aeth Pwyll ar ôl Rhiannon.

Roedd Rhiannon yn agos. Roedd y gaseg yn cerdded yn araf iawn, yn cerdded ling-di-long.

Ond doedd march Pwyll ddim yn medru ei dal hi.

Roedd march Pwyll yn cerdded, ac roedd caseg Rhiannon yn cerdded.

Doedd o ddim yn medru ei dal hi.

Roedd march Pwyll yn carlamu, ac roedd caseg Rhiannon yn cerdded.

Doedd o ddim yn medru ei dal hi.

Roedd march Pwyll yn carlamu, a charlamu, yn gyflym iawn. Roedd caseg Rhiannon yn cerdded, ond doedd Pwyll ddim yn medru ei dal hi.

O'r diwedd, mi ddeudodd Pwyll, 'O ferch hardd, stopia, plis!'

Ar unwaith, mi wnaeth Rhiannon stopio'r gaseg. Mi wnaeth hi droi ac edrych ar Pwyll.

'Pam wnest ti ddim gofyn **yn gynt**?' gofynnodd hi.

Edrychodd Pwyll ar Rhiannon.

'O ferch hardd,' deudodd o, 'pwy wyt ti? Pam wyt ti yma?'

'Rhiannon dw i,' atebodd hi. 'Dw i'n dod o fyd y Tylwyth Teg. Dw i yma achos dw i'n caru rhywun yn y byd yma.'

'Pwy ydy'r dyn lwcus?' gofynnodd Pwyll.

'Pwyll,' deudodd Rhiannon, 'Dw i'n dy garu di. Dyma pam dw i yma.'

A dyma'r stori am gyfarfod cynta Rhiannon a Pwyll. Stori am syrthio mewn cariad.

yn gynt – *sooner*

Y Brenin o dan y Bryn

Beth oedd gwaith Gareth? Gwerthu anifeiliaid i ffermwr yn **Llundain**.

Heddiw, mae ffermwyr yn mynd â'r anifeiliaid mewn **trelar** i'w gwerthu nhw, ond amser maith yn ôl, roedden nhw'n cerdded yr holl ffordd.

Roedd rhaid i Gareth gerdded yr holl ffordd o Gymru i Lundain. Felly roedd o isio **esgidiau** da a ffon **gryf**.

Mi aeth Gareth i'r siop i brynu esgidiau da. Mi aeth o i fyny'r bryn i edrych am ffon gryf. Mi wnaeth o weld y goeden berffaith. Wnaeth o dorri **darn** o'r goeden ... a dyma hi – ffon gryf !

Roedd y ffon a'r esgidiau'n dda ac yn help mawr i Gareth yr holl ffordd i Lundain.

Ar ôl gwerthu'r defaid, roedd gan Gareth dipyn o arian.

Mi aeth o o gwmpas **y ddinas**, i edrych ar y siopau cyn mynd adre.

Stopiodd Gareth ar bont dros yr afon, ac edrych o gwmpas.

Ond roedd rhywun yn edrych arno fo.

Wnaeth dyn tal, rhyfedd edrych arno fo.

'Pam dych chi'n edrych arna i?' wnaeth Gareth ofyn.

Llundain – *London*	**cryf** – *strong*
trelar – *trailer*	**darn** – *piece*
esgid(iau) – *shoe(s)*	**dinas** – *city*

'Dw i ddim yn edrych arnat ti. Dw i'n edrych ar dy ffon. Dw i isio gwybod o ble gest ti'r ffon gryf yna?'

'Pam?'

'Achos mae'r ffon yn dod o goeden, ac mae'r goeden yn dangos lle mae'r bryn. Dw i isio ffeindio'r bryn. Dw i isio mynd i mewn i'r bryn. Dw i isio mynd o dan y bryn.'

'Pam?'

'Achos o dan y bryn mae brenin a marchogion yn cysgu mewn **ogof** fawr. Maen nhw'n cysgu tan mae'n rhaid iddyn nhw ddeffro i helpu'r wlad. I gadw Cymru a phobl Cymru'n saff. I **achub** y wlad. Dw i'n mynd bob **can mlynedd** i ofalu am y brenin a'r marchogion. Ond dw i wedi anghofio ble mae'r bryn! Dw i wedi anghofio ble mae'r ogof a ble mae'r marchogion dewr! Mae goeden yn dangos ble maen nhw. Mae dy ffon yn dod o'r goeden hon, dw i'n siŵr. Ga i ddod efo ti i'r goeden, plis?'

'Cei,' wnaeth Gareth ateb.

Felly mi ddaeth y ddau yn ôl i Gymru. Mi aeth Gareth a'r dyn i fyny'r bryn.

'Dyma'r goeden,' wnaeth Gareth ddeud.

Deudodd y dyn, 'Dyma fo!' Roedd o'n edrych ar **dwll** bach o dan y goeden.

Wnaeth o ddechrau symud y **pridd**. **Cyn bo hir** roedd y twll yn fawr.

'Dw i'n mynd o dan y bryn,' wnaeth y dyn ddeud. 'Tyrd efo fi. Mae **gwobr** i ti yn yr ogof o dan y bryn – gwobr i ddiolch i ti am helpu fi.'

ogof – *cave*	**pridd** – *earth, soil*
achub – *to rescue, to save*	**cyn bo hir** – *before long*
can mlynedd – *hundred years*	**gwobr** – *prize*
twll – *hole*	

Mi aeth y dyn i mewn i'r twll o dan y goeden. Mi aeth Gareth hefyd. Roedd **twnnel** hir o'r twll o dan y goeden. Mi aeth y ddau i lawr ac i lawr.

Wedyn wnaeth Gareth weld golau **gwan**. Wnaeth o weld **cloch** fawr yn **hongian** yn y twnnel.

Stopiodd y dyn.

'Dan ni yma! Dyma ogof y brenin a'r marchogion,' deudodd o. '**Paid â** deffro'r marchogion. Paid â **chanu'r gloch**.'

Mi aeth y ddau yn ofalus iawn o gwmpas y gloch.

Wnaeth Gareth weld yr ogof fawr.

Roedd llawer o farchogion yn cysgu ar y llawr.

Roedd gan bob marchog **gleddyf, tarian** ... a march!

Roedd y ceffylau'n cysgu efo'r marchogion.

Roedd y brenin yn cysgu hefyd. Roedd o'n eistedd ar gadair **aur**.

Ar y llawr roedd aur a **thrysor**, llawer iawn o aur a thrysor **ym mhob man**!

'Croeso i ti **helpu dy hun** i'r trysor,' deudodd y dyn. 'Dyma dy wobr am helpu fi.'

Roedd Gareth yn hapus iawn. Wnaeth o stwffio aur yn

twnnel – *tunnel*	**cleddyf** – *sword*
gwan – *weak*	**tarian** – *shield*
cloch – *bell*	**aur** – *gold*
hongian – *to hang*	**trysor** – *treasure*
paid â ... – *don't ...*	**ym mhob man** – *everywhere*
canu'r gloch – *to ring, sound the bell*	**helpu dy hun** – *to help yourself*

ei **gôt**, yn ei **bocedi**, yn ei esgidiau! Wnaeth y dyn edrych yn ofalus ar y marchogion i gyd.

Wnaeth o ddeud, 'Mae pawb yn iawn. Mae popeth yn iawn. Dan ni'n medru mynd rŵan. Ond paid â deffro'r marchogion. Paid â chanu'r gloch.'

Mi aeth y dyn o gwmpas y gloch yn ofalus iawn.

Ond doedd Gareth ddim yn ofalus. Dyma fo'n **taro i mewn i**'r gloch! **Damwain** oedd o, ond wnaeth y gloch ganu!

Wnaeth pob marchog ddechrau deffro.

Wnaeth pob ceffyl ddechrau deffro.

Wnaeth y brenin ddechrau deffro.

Wnaeth y brenin ddeud, 'Ydy'r amser wedi dod?'

'Nac ydy,' atebodd y dyn. 'Ewch 'nôl i gysgu!'

Mi aeth pob un yn ôl i gysgu. **Dyna ryddhad**!

Roedd y dyn a Gareth yn y twnnel rŵan. Mi aethon nhw ymlaen, ac wedyn i fyny ac i fyny. Mi ddaethon nhw allan o'r twll o dan y goeden.

'Mae'n ddrwg gen i,' deudodd Gareth, 'Wnes i daro'r gloch! Wnes i ganu'r gloch. Damwain oedd o! Efo llawer o aur ym mhocedi'r gôt, ro'n i'n rhy fawr i fynd o gwmpas y gloch!'

'**Wrth lwc**, doedd o ddim yn broblem,' atebodd y dyn. 'Mae gen ti lawer o aur rŵan. Diolch am dy help. Dw i'n mynd i ffwrdd. Dw i'n medru cysgu am gan mlynedd, tan mae'r amser yn dod i weld y brenin a'r marchogion eto. Hwyl fawr.'

côt – *coat*	**damwain** – *accident*
poced(i) – *pocket(s)*	**dyna ryddhad!** – *what a relief!*
taro i mewn i – *to bump into*	**wrth lwc** – *luckily*

Mi aeth y dyn i ffwrdd.

Mi aeth Gareth adre.

Roedd o'n medru byw yn hapus rŵan, gyda'r aur a'r trysor.

Ydy'r brenin a'r marchogion yn dal i gysgu? Dw i ddim yn gwybod.

Ble maen nhw? Dw i ddim yn gwybod.

Ond dw i'n gwybod am y chwedl. A rŵan, rwyt ti'n gwybod am y chwedl hefyd.

Geirfa

achub – *to rescue, to save*
addo – *to promise*
amser maith yn ôl – *once upon a time (literally: a long time ago)*
ar ben – *on top of*
ar ben ei hun – *on his own*
ardal – *area*
ar gefn – *on the back of*
arglwydd – *lord*
ar lafar – *spoken, orally*
ar unwaith – *at once*
ar ymyl – *on the edge*
aur – *gold*

Baban Iesu – *Baby Jesus*
barbwr – *barber*
blin – *angry*
brwydr – *battle*
brwyn – *reeds, rushes*
byddi di wedi ... – *you will have ...*

caer – *fort*
can mlynedd – *hundred years*
canu'r ffliwt – *to play the flute*
canu'r gloch – *to ring, sound the bell*
carlamu – *to gallop*
carn – *hoof*
caseg – *mare (female horse)*
cennad – *permission*
cleddyf – *sword*
cloch – *bell*
clogwyn – *cliff*
corff – *body*

côt – *coat*
creu – *to create*
criw – *party, group*
crwydro – *to wander*
cryf – *strong*
cyfeillion – *friends*
cyflwyniad – *introduction*
cyfrinach – *secret*
cymeriad(au) – *character(s)*
cyn bo hir – *before long*
cynfas wen – *white sheet*

chwedl(au) – *folktale(s)*
chwedleuwr – *storyteller*

dal – *to catch*
dal ati – *still*
dal i – *still, to continue*
damwain – *accident*
darn – *piece*
dilyn – *to follow*
dim ots – *it doesn't matter / never mind*
dinas – *city*
Dinbych – *Denbigh*
diniwad – *innocent, harmless*
disgwyl – *to expect*
diwylliant – *culture*
dyna ryddhad! – *what a relief!*

ebol – *foal*
enwog – *famous*
eraill – *other*

esgid(iau) – *shoe(s)*

ffynnon – *spring, fountain, well*

gelyn(ion) – *enemy / enemies*
geni – *to give birth to / to be born*
glân – *clean*
golygfa – *view*
golygu – *to mean*
gorsedd – *throne*
gwaed – *blood*
gwan – *weak*
gwobr – *prize*
gwryw – *masculine, male*

hardd – *beautiful*
helpu dy hun – *to help yourself*
hongian – *to hang*
hud a lledrith – *magic*

ling-di-long – *slowly, leisurely*
lwc – *luck*

llech – *slab, slate*
Llundain – *London*
llyn – *lake*

march – *steed, stallion*
marchog(ion) – *knight(s)*
merch – *woman, girl*
mewn trwbl – *in trouble*
moel – *(bare) summit, mountain top*

ofnus – afraid

ogof – cave

paid â ... – *don't ...*
penglog – *skull*
Pen Llŷn – *Llŷn Peninsula*
perygl – *danger*
perswadio – *to persuade*
poblogaidd – *popular*
poced(i) – *pocket(s)*
polyn – *pole*
pridd – *earth, soil*

saff – *safe*
sidan – *silk*
Sir Benfro – *Pembrokeshire*
sôn am – *talk about*
syml – *simple*
syrthio – *to fall*

tarian – *shield*
taro i mewn i – *to bump into*
torri – *to cut*
trelar – *trailer*
trysor – *treasure*
tu ôl i – *behind*
twll – *hole*
twnnel – *tunnel*
tylwyth teg – *fairies*
tynnu – *to remove, to take off*
tywysog(ion) – *prince(s)*

uchel – *high*

wrth lwc – *luckily*

ym mhob man – *everywhere*
ymladd – *to fight*
yn dal yno – *still there*
yn gynt – *sooner*

Cyfres Amdani

Mae'r **gyfres** lyfrau Amdani i bobl sy'n dysgu Cymraeg. Cafodd y gyfres ei **chreu** yn 2018. Roedd yn brosiect rhwng **Cyngor Llyfrau Cymru** a'r **Ganolfan Dysgu Cymraeg Genedlaethol**. Mae pob math o lyfrau yn y gyfres – straeon ditectif, nofelau **serch**, **hunangofiannau**, comedi a **straeon byrion**. Mae'r holl lyfrau yn **cyd-fynd â** chyrsiau Dysgu Cymraeg y Ganolfan. Mae'r llyfrau wedi cael eu **graddoli** ar wahanol lefelau dysgu, o lefel Mynediad i bobl sy'n dechrau dysgu Cymraeg, i lefel Uwch ar gyfer dysgwyr **profiadol**. Dach chi'n gallu prynu'r llyfrau yn eich siop lyfrau leol neu drwy **wefan** Gwales.com. Mae llawer o'r llyfrau hefyd ar gael trwy blatfform e-lyfrau newydd Cyngor Llyfrau Cymru, ffolio.cymru

| **Mynediad** | **Sylfaen** | **Canolradd** | **Uwch** |
| (Entry) | (Foundation) | (Intermediate) | (Advanced) |

cyfres – *series*	hunangofiannau – *autobiographies*
creu – *to create*	straeon byrion – *short stories*
Cyngor Llyfrau Cymru – Books Council of Wales	cyd-fynd â – *to go together with, to match*
Canolfan Dysgu Cymraeg Genedlaethol – National Centre for Learning Welsh	graddoli – *to grade, to classify*
	profiadol – *experienced*
serch – *love, romance*	gwefan – *website*

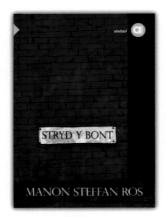

Mae Stryd y Bont yn dilyn hanes pobl sy'n byw ar yr un stryd mewn tref yng Nghymru. Pa gyfrinachau sydd ganddyn nhw? Pwy sy'n adnabod pwy, ac a ydy cymeriadau Stryd y Bont yn adnabod eu cymdogion mewn gwirionedd?

Nofel yn sôn am ddiwrnod ym mywyd Sophie, sydd ar ei ffordd i fod yn ecstra mewn ffilm, ond mae nifer o ddigwyddiadau yn ei rhwystro rhag cyrraedd y set. Mae'n gorfod ymweld â swyddfa'r heddlu sawl gwaith, ond does dim ots ganddi, oherwydd mae'n ffansïo'r plismon yno!

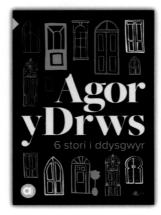

6 stori fer, ysgafn, wreiddiol, tua 1,000 o eiriau yr un, ar gyfer Lefel Mynediad gan Mererid Hopwood, Mared Lewis, Meleri Wyn James, Elin Meek, Cynan Llwyd a Lois Arnold.

Mae problemau mawr yn y siop lyfrau. Mae gangsters yn dod i mewn bob wythnos i brynu llyfrau. Ond dydyn nhw ddim eisiau darllen. O ble mae'r llyfrau'n dŵad? Beth mae Lilith Lewys, bos y gangsters, eisiau efo'r siop lyfrau?

Gwaith Elsa Bowen ydy ateb y cwestiynau yma. Ond gwaith anodd ydy o – a gwaith peryg!

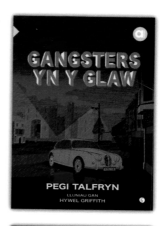

Mae Lucy Owen yn darllen y newyddion ar y teledu ac mae hi'n dysgu Cymraeg. Mae Lucy yn hoffi hwfro! Mae Rhodri Owen, ei gŵr, yn cyflwyno Heno ar y teledu. Mae'r cwpwl yn mynd allan am y diwrnod i fwynhau picnic gyda Gabriel, eu mab 10 oed.

Mae'r diwrnod yn llawn antur wrth i lawer o bethau fynd yn anghywir!

Mwynhau dysgu
Cymraeg

Mae miloedd o bobl yn mwynhau dysgu Cymraeg gyda dysgucymraeg.cymru

Mae'n bosib dilyn cwrs ar sawl lefel – yn ystod y dydd neu'r nos.
Mae adnoddau digidol (*digital resources*) am ddim i'ch helpu.
Mae cyfleoedd (*opportunities*) i chi siarad Cymraeg.

Mae cyrsiau blasu ar-lein i ddechreuwyr.
Mae cyrsiau ar gyfer rhieni a gofalwyr plant bach.
Mae cyrsiau ar gyfer gweithwyr.

dysgucymraeg.cymru
learnwelsh.cymru

Mae croeso cynnes i bawb
Ewch i dysgucymraeg.cymru

Llywodraeth Cymru
Welsh Government

Dysgu
Learn

dysgucymraeg.cymru
learnwelsh.cymru
Nant Gwrtheyrn

Dach chi isio dysgu Cymraeg?

Mae Canolfan Iaith Nant Gwrtheyrn yn rhedeg cyrsiau Cymraeg arbennig mewn lle hyfryd a dros y we. Mae cyrsiau ar gyfer pob lefel.

I ddysgu Cymraeg - dewch i'r Nant!

CANOLFAN IAITH A THREFTADAETH CYMRU
WELSH LANGUAGE AND HERITAGE CENTRE

01758 750 334 | post@nantgwrtheyrn.org | www.nantgwrtheyrn.org